MOBILE SUIT

# GUNDAM
# 0083
## REBELLION

## 02

CONTENTS

퍼플턴 양, 본함은 이제부터 자부로에 기항합니다

들어서 알고 있습니다, 시나푸스 함장님

5

시제 건담 2기를 위해 미캐닉들을

이 알비온에 승함시킨다고 들었어요

앞으로는 그 미캐닉반이 시제기 정비를 담당할 테니

그들을 잘 가르쳐 주길 바랍니다

물론입니다. 저희 회사도

납품한 MS의 후속관리 책임이 있습니다

후ㅡ응

무…!! 무슨 소리야, 시몬!!

스콧은 저런 타입을 좋아하나 보네?

……

'강습상륙함 알비온의
입항을 허가한다'
입니다

자부로에서
입전!!

퍼플턴
양——…

음

예?

자부로 기항 후엔
오스트레일리아의
토링턴 기지로
향하고——…

그곳 테스트
파일럿들 중에서
시제 건담
두 기의 파일럿을
선정합니다

그럼 다
되는 거겠지?

콕피트를
관통했습니다

제가
승리했습니다!!

13

훈련용
사벨 따윈
제대로 된 게
아니란 말이지

그래도
이긴 건
이긴 거니까

약속대로
'신참'이라고
부르는 것은
그만 해주십시오

아얏

시꺼!!

신참 녀석이
시건방졌어!!

커크스 소위,
우라키 소위!!

뭔
장난질이얏!!

MS는
장난감이
아니다!!

음?

칼렌트
소대인가?!

너한테는
장난감
같은 것
아니었나!!

테스트니
뭐니 하면서
새로운
장난감 갖고
노닥거리기만
하는

부대라는
뜻이지

장난감이란 건
무슨 의미냐,
칼렌트!!

난 테스트 파일럿 쪽이 좋아

새로운 MS도 탈 수 있잖아!!

전쟁은 끝났고 실전 부대라 봤자 테스트 파일럿하고 다를 것도 없잖아

그치, 코우!!

17

왜 그래, 키스?!

너다운 의견이야, 아주!!

아프리카 남동부 킬리만자로 민간 우주항

지구에
오신 걸
환영합니다

달에서라…

지구에 오신
목적은 뭡니까?

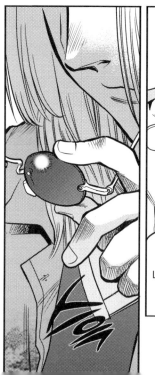

sight…

seeing

네에?

Sightseeing!!

이응?

아아…

관광
말이죠

기다리고
있었습니다!!

드라이제
함장님께
들었습니다

여행은
어떠셨는지요?

잘 부탁하네!!

군복은 기지에
마련해뒀으니

당분간만
참으십시오

이런
옷차림으로는
진정이
안 되는군

그런데
입국 심사가
이렇게나
엉성하다니

승전국의
교만이란
것입죠

부와앙...

덕분에
이렇게 활동을
계속할 수 있지만
말입니다

딱히
이상은
없습니다

음!!

계속해서
경계에 임하게!!

가토 소령!!

드디어 결기할 때가 온 것이로군!!

3년 기다린 보람이 있긴 하구만!!

데라즈 각하의 '별가루 작전' 참가에 감사 말씀 전합니다

드라이제 중령님—…

뭔 소리를!!

3년 만의 임무 요청에 응하지 않을 리가 없잖은가!!

옛!!

소령님!!

이놈들아!!

벌써부터 취해 갖고는!!

임무 수행에 전력을 다 해 임하겠습━니다

가시는 길의 안전은 저희한테 맡기십쇼

가토 소령니임~

샴페인 샤워로 함을 달래주려 했는데 말입니다아

그래스 말입니다아 원래대로라면 임무 성공을 빌면서 말입니다아

오늘부로 기지에서 퇴거하기로 했잖슴까아

그래서 창고에 조금 남아 있던 비축 주류를 처분하고 있었음다아

뭐…

출격은 내일 아침이다

이참에 자네도 기운 좀 북돋고

너무 들떴잖아!! 어떻게 좀 해봐!!

따끔하게 혼내겠습니다

알겠습 니다

아닙 니다!!

역전의 에이스 앞에서 엄한 추태를 보이고 말았네

미안하이, 소령!!

그 기분 저도 잘 압니다

이해해 주겠는가?

녀석들도 여태까지 이어졌던 잠복 생활의 긴장과 3년 만의 출격 임무에 흥분하고 있는 걸세

저도 실은 마찬가지입니다

온몸이 흥분으로 떨려서 멈추질 않고 있습니다

내 반드시 귀관을 결기의 땅

오스트레일리아로 보내주도록 하지!!

뿌웅…

소령…

'별가루 작전' 완수를 미리 축하하며!!

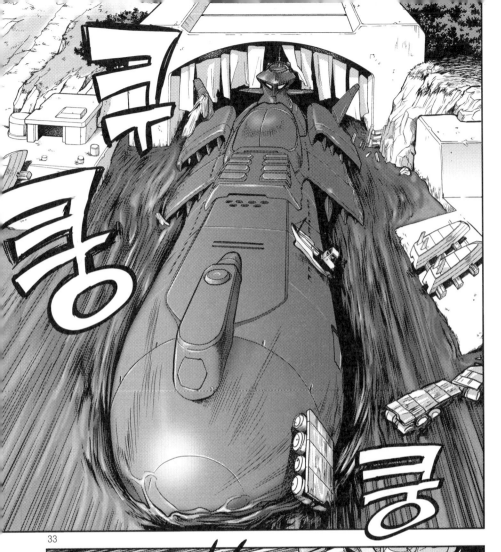

목적지는 오스트레일리아

연방군 토링턴 기지!!

신장비입니까? 버닝 대위님

안 됐지만 키스

'짐 카이'용 추가 백팩이다

싸우기에 따라선 성능차는 커버할 수 있습니다!!

아, 진짜!! 저희 자쿠하곤 성능차가 너무 난단 말입니다!!

안 됐지만 이놈은 내 기체용 장비라지

뭐어야? 신···이니 우라키!!

자쿠 갖고 이놈을 이길 수 있다고 생각하고 있는 거야?

싸우기 나름입니다

커크스!! 키스!! 우라키가 팀을 짜서

저 녀석과 모의전 형식으로 기동 테스트를 실시한다!!

떠들지들 마!!

내일 아침부터 저 파워드 짐의 기동 테스트를 실시한다 기체에 문제가 없으면

그래도 이길 것 같지 않은데

3 대 1이란 건가…

기꺼이 하겠습니다

다들 알겠지!!! 오늘은 이걸로 해산한다

이상!!

파워드 짐 장비 교체 작업을 도와주고 올게

뭐야? 코우!!

적을 쓰러뜨리려면…

우선 적의 성능을 알 필요가 있지!!

데이터 표 대충 훑어보면 되잖아

이제 가자고, 코우!!

# MOBILE SUIT
# GUNDAM
# 0083
# REBELLION

MOBILE SUIT
# GUNDAM
# 0083
## REBELLION

우라키!!

뒤쫓겠습니다!!

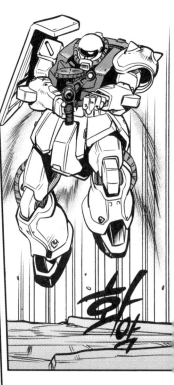

응?

미안,
놓쳤다

성능차가
너무 나

키스!!
파워드 짐은
어디야?!

버닝 대위님,
짐의 추가
제트 데이터가
부족합니다

한계 추력까지
아직 상당히
여유 있습니다

음!!

앨런 중위!!
버닝이다

추가 제트 추력을
전개해서
모의전을
속행해라!!

로저!!

유

유

윰

솔직하게 말하자면 처음에는 네가 마음에 들진 않았어

……

옆에 앉아도 돼?

아나하임 엔지니어가 현장을 뭘 알겠나 생각해서 말이지

그… 그래

그래, 그래!!

머리 굳은 기술자 놈이 헤집으러 왔다고 생각했어?

그 자리에 있던 전원이 네 정열에 넘어갔단 거야

그래도 니나 네가 우리 앞에서 느닷없이

건담 개발에 대한 생각을 말하기 시작해서…

미캐닉으로서
신뢰할 수 있는
동료라고 느낀 거지

그만 해,
부끄럽단 말야

지금은
어째서 이런
전망실에서
우울에
빠져 있는
걸까?

……

응?

그래서?

아까까지
함교에 있다가
바깥 경치를
보러 와
있던 거야—…

끝도 없이
넓은
이 경치는

달에서 태어난
나한테는
모두 다 신선해서
감동적이었거든

그래도
설마하니
지금 보고 있는
이 바다가

전에는
육지였던
곳이라니 —…

지온의
'콜로니
떨구기'의
상흔 —…

6만 메가톤급
파괴력에 의한
사상 최대 규모의
인공 구덩이 —…

최대 지름
500km의
크레이터

함교에서
그 이야길
시나푸스
함장님께
들었을 때

물론 정보로는
알고 있었지만

아무 말도
못했어—…

그래도
그 참극을 상상도…
이해조차도
하지 못했던 자신이
너무나도 한심해서…

니나…

난 건담을 전쟁 병기로 개발하려던 건 결코 아니었어…

하지만 그조차도 내 상상력 부족이었다는 걸까?

난…… 틀렸던 걸까?

몰라

그렇지 않아

그렇지 않다고, 니나!!

전쟁은 이제 끝났단 말야!! 넌 틀리지 않았어!!

소령님!!
슬슬 시간
됐습니다

음!!

그런데
이 자멜 같은
초중MS를 잘도
보유하고 있었군

보브
중위

이 오스트레일리아는
콜로니 잔해가
무수하게 뿌려져 있는
황무지투성이라서요

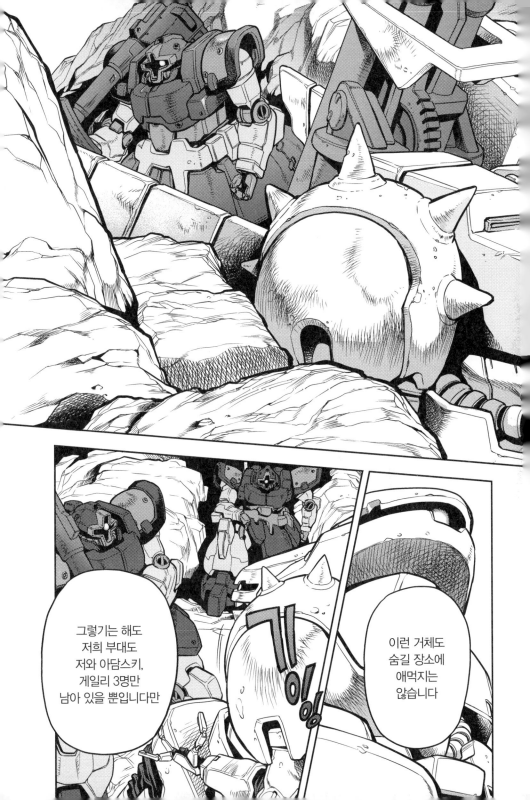

그렇기는 해도
저희 부대도
저와 아담스키,
게일리 3명만
남아 있을 뿐입니다만

이런 거체도
숨길 장소에
애먹지는
않습니다

이 작전 여하에 따라 정세는 바뀐다

우리의 싸움은 아직 도중에 있는 것이다!!

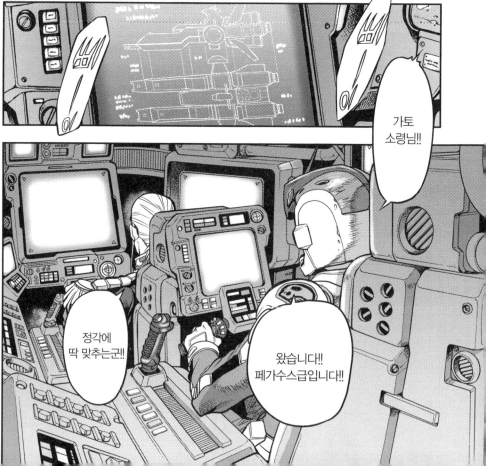

가토 소령님!!

정각에 딱 맞추는군!!

왔습니다!! 페가수스급입니다!!

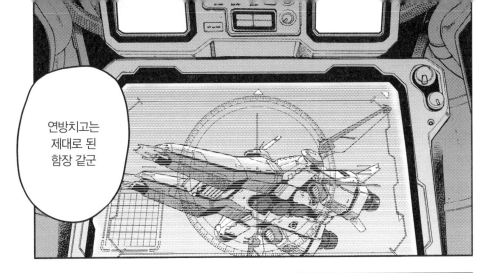

연방치고는
제대로 된
함장 같군

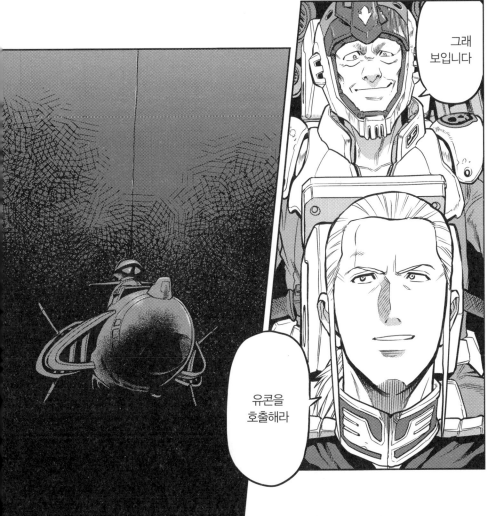

그래
보입니다

유콘을
호출해라

그래!!

함장님!!

여기는
코드네임
'발피쉬'

연방군의
페가수스급을
확인—…

……

옛

우주로
암호 통신을
보내!!

통신
내용은

『별가루
발동시킴』
이다!!

94...

95...

저게 페가수스급 개량형이라면

설마하니 탑승기는 건담 타입이…

오늘은 수고했다

해산!!

굉장해!! 언제 볼 수 있습니까?!

내일 아침 브리핑을 기대하라고

뭐, 기다려라. 상세히 조사해 놓지

키스!! 언제까지 뻗어 있을 거냐!!

네 녀석의 바보짓 때문에 1승도 못했단 말야

예… 옛

반성 하라고!!

응?
아아

그딴 것보다
빨랑 돌아가서
쉬자고

내려온다!!

키스!!

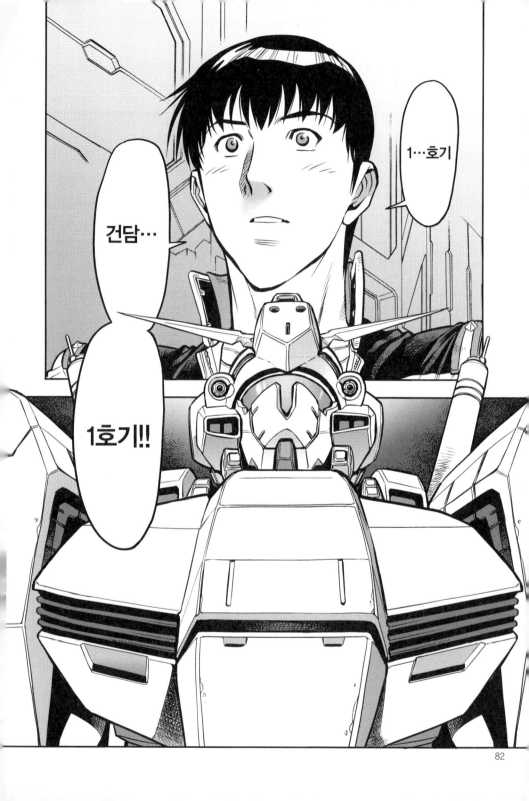

# MOBILE SUIT
# GUNDAM
# 0083
# REBELLION

MOBILE SUIT

# GUNDAM
# 0083
## REBELLION

제7화 「건담 강탈(1)」

어머나, 테스트 파일럿 분이였나요?

전 테스트 파일럿인 채크 키스 소위입니다

불쑥

전 시스템 엔지니어인 니나 퍼플턴입니다

당당

저기요!! 뭐 하고 있는 거죠?

장갑재는 루나 티타늄 합금인가?

내 건담에
들러붙어
만지지 말아요!!

견학이라면
나중에
연락하겠습니다!!

맥주라도
마시러 갈까?

우리 데이트 시간을
정해야 하지 않겠어?

오늘은
몇 시에
끝나?

어머?

그럼
내 쪽에서
연락할게

데이트?

?

똑

똑

똑

그렇구나!!

코어 블록
시스템을
탑재한 건가!!

이 건담의
백팩 형상은—…

아머 중량의
상대적 밸런스는
잡혀 있으려나?

반응 속도는
0.5초 정도는
빨라지니
그렇다 쳐도

출력은
짐에 비해
30% 밖에
안 되네

응?

어깨의
바주카는
전술핵
장비겠지!!

건담 2호기는
핵병기 운용
MS이고!!

그리고
저 중장갑
녀석—…

그건…

역시 그런가!!

그렇지 않을까 하고 생각했거든!!

그래서 건담이 둘이겠지

2인 1조
투―맨―셀이
MS의 기본
전술이니까

이번 '건담 개발 계획'은

자부로의 코웬 중장이 지휘하고 있는 것이었지

군 핵심에 자리를 잡으면

이래저래 파벌 싸움이 극심하다고 들었는데…

코웬도 고생하고 있는 것 같아

토링턴 같은 변두리 기지 사령관에 만족하고 있는 나로서는

알 수도 없는 고생이겠지

겸손이십니다 ———····

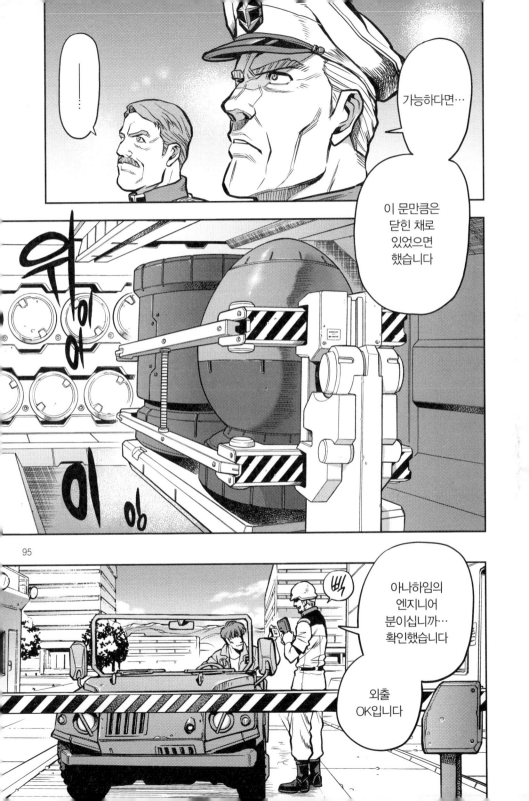

가능하다면…

이 문만큼은
닫힌 채로
있었으면
했습니다

워
이
잉

이
잉

아나하임의
엔지니어
분이십니까…
확인했습니다

빽

외출
OK입니다

니나!!

여기 작입은 끝났어

2호기의 탄두 장전 작업은 3시간 후랬지

잠시 밥 먹으러 쉬지 않을래?

그래도 할 일이 아직 남아 있어, 몰라

안 돼

지이이잉

너 자브로에
들렀을 때도
알비온에서
하선하지 않았지

응?

그러니까
넌 아직
한 발짝도

지구에 내린 적
없다는 뜻이잖아

아…

와르륵

몰라,
잠깐만!!

아─
안 돼!!

토링턴 기지 밥은
맛있다고
평판이 자자하다니깐

으음—

응?

감상은?

뭐어…?!

딱히…．
별 느낌 없어

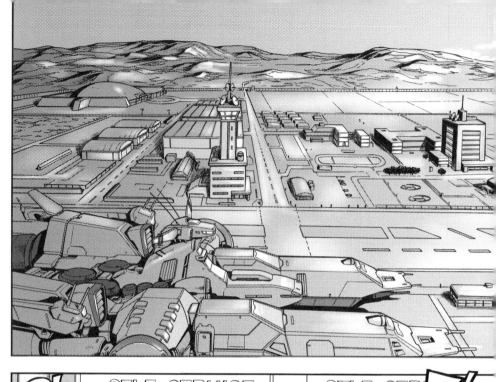

하아...

필요 없다고
했는데ㅡ...

앗...

공교롭게도
우린 이미 식사를
마쳤어요

저기…
잠깐
괜찮을까?

응?

그 추가 장갑은
쓸데없는 것 아닐까?

건담 1호기
말인데

그거 본래
그 모습 아니지

108

저래서는 기동력이 짐보다도 떨어지지 않아?

대략적인 수치로 계산해 봤는데

니나!!

쓸데없다니 무슨 뜻이죠?

문외한인 당신이 뭘 안다고!!

2호기의 '핵' 때문이겠지!!

저 복합 장갑의 필요성은…

미노프스키 입자 영향하에서

전술핵을 핀포인트로 명중시키려면

MS의 근거리 핵탄두 공격이 유효할 테니 말이지

그 운용 테스트를
하기 위해
여기 온 거죠

그건—…

아직
시제 단계이고

그래!!

그거!!

그걸
듣고 싶었다고!!

니나!!

슬슬
시간
다 됐어

그건
—…

누가 탈 지
정해졌어?

파일럿은
이 기지의
테스트 파일럿을
쓰겠지!!

내가

건담에 —…

타고
싶어!!

우리 회사는
최고의 포텐셜을
이끌어내 줄
파일럿에게

그럴
생각은…

건담을
맡기고 싶다고
생각하고
있습니다

건담은
장난감이 아냬!!

이 기지의
MS 격납고를
보게 되었는데

그래도
아까—…

자쿠는
좋은 기체

예요!!

야!!

가…

가자고요, 몰래!!

대체 뭘 하는 건지…

어이!! 키스!! 저 미인 누구냐

아나하임의 니나 양

저 여자 왈…

구형으로 훈련받고 있는 파일럿은 불안하다는데요

아나하임이란 말은 신형기의—…

우리 중에서 누군가가 타게 된다는 거지!!

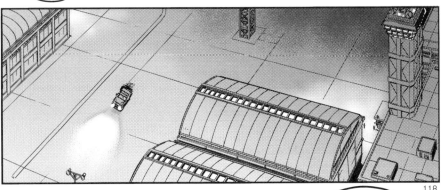

우웅

우웅

연방은
어디나
이렇습니다

이런 놈들하고
싸우고
있었다니 —…

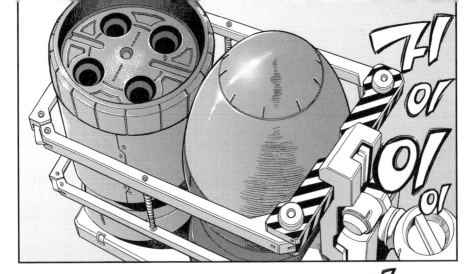

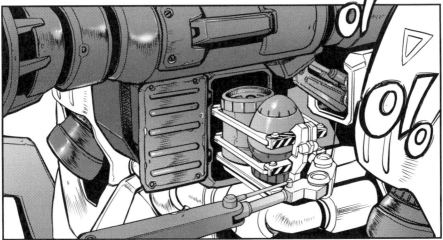

120

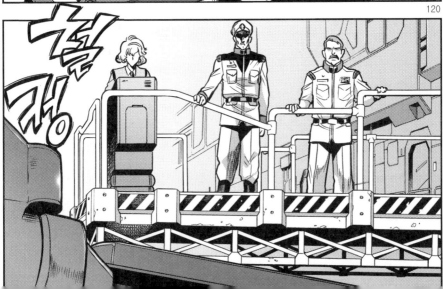

2호기의
세팅
완료했습니다

이것으로
일단락되었군

네,
시나푸스
함장님

내일부터가
또 큰일인데
잘 부탁하네

퍼플턴 양

뭔가 하고
있는 것 같네,
코우!!

또 저
두 사람?

여긴 놀이터가 아니에욧!!

거기 두 분—…!!

혹시 지금—…

탄두 장비하는 중인가?

123

네에!! 그래요!!

그러니까 방해되지 않도록 나가 있으면 좋겠어요!!

가자, 코우!!

쎄엑

이제
포기하라고,
키스

저 까칠한
성격만 없으면

쟤 정말
최고인데 말야

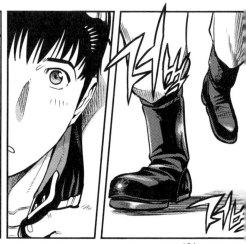

후익

......

대단해ㅡ....

훌륭한
MS다!!

저도!!

그렇게
생각합니다

자네!!

바주카에 탄두 장전은 끝마쳤는가

옛!!

예?

그렇다면 시험해 볼까

누구야?
파일럿?

......

또야!

저 둘
진짜
끈질기네…

당신들 ......

뭔가
이상해!!

MOBILE SUIT
GUNDAM
0083
REBELLION

MOBILE SUIT

# GUNDAM
# 0083
REBELLION

앗…
코우!!

2호기를
멈추겠습니다!!

설마
소위가
1호기를…

우라키
소위?!

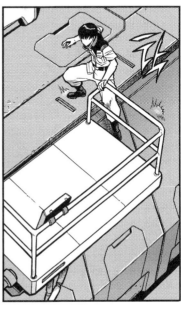

143

역시─…

탄두를 쏘려면
실드가
필요하다는 것을
알고 있어

응?

함장님!! 격납고에서 연락입니다!!

2호기가 지온이라고 주장하는 자한테 탈취당했습니다!!

어찌된 일이야?! 상세하게 보고해!!

2호기가 탈취당했다고?!

미사일 사일로 1번, 4번, 5번, 8번 개방!!

151

좌현
엔진
피탄!!

출력 저하
각부 파손
개소를
보고하라!!

……

미사일
발사 위치를
찾아!!

무슨 일이
일어나고
있는 거냐
ー…?

미노프스키
입자를
살포해!!

로저!!

제엔쟁!!
이제 와서
지온이…

뭘 하자는
거냐고?!

칼렌트
소대는
좌우로
전개

시제기를
포위한다

실전…

이구나…

코어 블록
콕피트는
비좁구나…

급탄 완료야.
나갈 수 있어!!

우라키
소위

그래도 무장은 머리 벌컨하고 사벨 뿐이야!! 괜찮겠어?

접근전입니다!! 어떻게든 됩니다

1호기까지 잃어버리게 될 지도 모른단 말야!!

몰라, 기다려!!

니나?!

이대로는 2호기는 확실히 빼앗기고 말아

제가 되찾겠습니다!!

지금
제 눈 앞에
돔이―…

여기서는
확인되지
않는다!!

적의 증원
부대입니다!!

적 MS가
기지 시설 내로
침입했구나!!

예…

옛!!

버닝
대위님!!

지온
놈인가?!

시제기를
훔친 놈은
진짜로

늦었잖아,
키스!!

제대로
실탄 장비를
챙겼나?!

예

지온의
재흥을 위해서
―…라고

분명히
말했습니다

이제 와서
잔당 놈들 따위가
멋대로
날뛰게는 못하지

그 놈들
또다시 전쟁을
시작할 셈인가

알겠습
니다!!

적의 전력은
미지수다.
방심하지 마

앨런하고
커크스가
페어로
행동한다

나하고
키스!!

음?

가자,
커크스

콰!

아아앙

아아…

아…

아…

콰!

아악

게일리인가!!

음, 나쁘지 않은 MS다

가토 소령님!!

그 기체는 꽤 대단한 놈이군요

철수한다,
게일리!!

옛!!

지구에
내려온 것치고는
잘 하는데.

역시
'솔로몬의 악몽'
......

음?

이것으로
'별가루 작전'의
첫 수는
성공이다

172

# MOBILE SUIT GUNDAM 0083 REBELLION

# 특별한 만화들

## 즐겁게 놀아보세 ❶~❸

스즈카와 린 ▪ 국판 ▪ 각권 7,000원

### 일본의 전통 놀이가 알고 싶어요!

재미있는 놀이를 찾아 항상 시끌시끌 즐거운 세 소녀들. 본격적으로 놀이를 연구하는 '놀이인 연구회', 약칭 '놀연'을 만들어 부활동을 시작합니다. 아, 물론 무단으로 빈 교실을 점령한 무인가 동호회입니다~! 그래도 괜찮아요. 부실에서 물놀이를 하고, 어딘가의 낙원에서 씨름을 하며 즐거운 부활동을 하고 있답니다. 네? 누군가 소리를 지르지 않았냐고요? 에이~ 착각이에요, 착각!

## 홍각의 판도라 -GHOST URN- ❶~❹

리쿠도 코시 ▪ 46판 ▪ 각권 6,000원

### 모든 사람이 면죄부를 찾아 헤메는, 출구가 보이지 않는 과도기…

와는 전혀 관계 없는 '소녀가 소녀를 만나는 이야기'
때는 근미래. 고도로 정보 네트워크가 발달한 한편, 세계의 각지에서 빈발하는 재해 탓에 정치와 경제가 혼란스러워진 시대가 도래했다. 사고로 인해 의료목적으로 '전신 의체화'를 한 소녀 나나코로비 네네는 친척에게 몸을 의탁하기 위해 인조 리조트 섬 세난클 아일랜드로 떠나게 되는데……

## 아우의 남편 ❶~❹ [완]

타가메 겐고로 ▪ 국판 ▪ 각권 7,000원

### 여기선 안되고, 저기선 된다니! 그런거 이상해!

어느 날, 초등학생 딸 카나를 혼자 키우고 있는 주인공 야이치에게 캐나다에서 사람이 찾아왔다. 아버지에게 '쌍둥이 동생'이 있었다는 것과 '그 쌍둥이 동생이 '외국인 남성과 결혼'을 했다는 것을 알게 된 카나는 놀라움과 함께, 캐나다인 고모부가 생긴다는 사실이 너무나도 신난다.
이들의 흥미진진하고 이상한(?) 동거생활이 지금 시작합니다!

## GUNDAM 0083 Rebellion ❶~❽

나츠모토 마사토 ▪ 국판 ▪ 각권 8,000원

### '어른이 읽는 건담 코믹스' 프로젝트 시동!

1년 전쟁 종결 후에도 남은 강경파 지온 잔당들은 지구권의 여전한 불안 요소로 남았다. 그리고 0083년, 이들이 연방군 관함식장에서 일으킨 대규모 테러는 이후로도 사람들의 마음에 깊은 상처와 적개심으로 남았다.
그리프스 전역으로 이어질 단초를 제공한 테러, '델라즈 분쟁'이 나츠모토 마사토의 압도적인 필력을 통해 더욱 풍성한 전말을 드러낸다.

# 길찾기가 선보이는

## 센과 만 ❶~❸[완]
세키야 아사미 ▪ 46판 ▪ 각권 6,000원

**섬세한 사춘기 딸과 싱글파더, 두 사람의 살아가는 법**

한지붕 아래, 아버지 치히로와 둘이서 사는 중학교 1학년 딸 시마.
아버지의 언동에 짜증이 나는 건 시마가 사춘기여서? 아니면 단순히 제멋대로여서?
어쩌면 아버지가 자신을 잘 나간다고 생각해서…!?
아버지와 딸의 아무렇지 않은 일상 이야기.

## 니체 선생 ❶~❻
마츠코마/하시모토 ▪ 46판 ▪ 각권 7,000원

**사토리 세대의 거물 신입! 편의점에 강림하다**

신과 같은 대접을 요구하는 진상 고객에게 '신은 죽었다'고 선언하며 강렬하게
편의점 업계에 데뷔한 니체 선생. 접객업에 종사하면서도 일체의 허례허식이 없는
솔직한 언행으로 고객님들에게 통쾌한 펀치를 날려주는 거물 신입 니체선생.
3포 세대에서 5포 세대로… 그리고 결국은 N포 세대로 전락할 위기에 처한
청춘들을 위로하는 만화.

## 고바야시네 메이드래곤 ❶~❻
쿨교신자 ▪ 국판 ▪ 각권 7,000원

**밤늦게까지 일하고 왔을 때, 메이드가 있었으면 좋겠습니다.**

고되고 고된 일을 끝내고 귀가하니 어느덧 밤이 되었습니다. 하지만 집에 돌아와도
돌아온 기분이 들지 않을 때가 많습니다. 이럴 때는 메이드가 있었으면 합니다.
그러던 어느 날, 낮술도 아닌 용줍을 해버린 고바야시 씨에게 드래곤인 메이드
토르가 찾아왔습니다. 고바야시와 토르의 알콩♡ 달콩♡ 살벌(?)한 이야기가
지금 시작합니다!

## 츠구모모 ❶~⑲
하마다 요시카즈 ▪ 국판 ▪ 각권 8,000원

**구전관 선정시합, 구전무투회 개시!**

츠쿠가미와 인간이 함께하는 미래를 만들기 위해 카즈야와 '친 츠쿠모가미파'는
마다라이 일파 '예 츠쿠모가미파'와의 싸움에 도전한다. 하지만 실력자들이 모인
카즈야 일행이 압도적으로 유리했을 싸움은 어느 순간에 확 뒤집혀버린다.
수리검, 사슬, 다루마에 보자기 등 츠구모모 특유의 놀라운 도구와 기술이 등장!
경이로운 츠쿠가미 배틀이 3연전!

# 기동전사 건담 0083 REBELLION ②

2016년 2월 29일 초판 1쇄 발행
2019년 5월 15일 초판 2쇄 발행

**만화** 나츠모토 마사토
**원작** 토미노 요시유키 · 야타테 하지메
**협력** 선라이즈

**펴낸이** 원종우
**펴낸곳** 길찾기
주소 (13814) 경기도 과천시 뒷골1로 6, 3층
전화 02 3667 2653~4   팩스 02 3667 2655   메일 edit01@imageframe.kr   웹 http://imageframe.kr

**ISBN** 978-89-6052-497-2 07830 (2권)  978-89-6052-495-8 (세트)
**가격 8,000원**

MOBILE SUIT GUNDAM 0083 REBELLION ②